세상에게

세상에게

발   행 | 2024년 6월 04일
저   자 | 박채우
펴낸이 | 한건희
펴낸곳 | 주식회사 부크크
출판사등록 | 2014.07.15.(제2014-16호)
주   소 | 서울특별시 금천구 가산디지털1로 119 SK트윈타워 A동 305호
전   화 | 1670-8316
이메일 | info@bookk.co.kr

ISBN | 979-11-410-8791-3

www.bookk.co.kr

세상에게

박채우 지음

CONTENT

이 책은 대한민국에서 청소년기를 온전히 보냈던 한 사람이 들려주는 이야기에 불과합니다.

하지만 무궁무진한 세상을 살아가는 이들에게 있어, 이 책과 같이 스스로의 관점과 가치관을 정리하는 과정은 필요하다고 생각합니다.

이 책은 단지 하나의 예시에 불과합니다.

스스로가 알고 행동함이 중요합니다.

이 이야기는 제 생각임은 사실이지만, 저만의 생각은 아닙니다.

또한 이 이야기는 단순한 하나의 방향성을 담은 책이지만, 많은 친구들에게 공감을 샀던 이야기 임도 사실입니다.

하나의 청춘이 마무리 되고 또 다른 청춘이 시작되는 이 시점에서, 새로운 청춘을 만날 이들이게 이 책을 바칩니다.

제 1부 역사(Footprint)

여러분들이 살아가고 있는 곳은 어디인가요? 우리가 살아가고 있는 '여기'는 도대체 어떠한 곳인가요? 질문을 더 간소화하여, 여기, 지금, 우리가 밟고 있는 이 '대한민국'이라는 건 무엇일까요?

사춘기와 청소년기를 보냄에 있어 인생을 살아가는 방향성을 고민하며, 이러한 물음 하나가 예전의 저에겐 남아있었습니다. 무조건 공부를 해야 하는 곳. 학교를 다니고 대학을 가야만 하는 곳. 다 같이를 강조하며 이를 위한 규칙을 지켜야만 하는 곳. 하지만 경쟁해야 하는 곳. 무조건 '수능'이라는 시험을 쳐야만 하는 곳. '공부'가 학생의 최고의 가치가 되는 곳. 저마다의 말말이 있겠지만, 대부분 아마 '공부'와 관련된 이야기일 것이라고 생각합니다.

대한민국을 살아가는 우리들에게 있어 '공부'란 '대학'과 '직장'을 가지기 위한 수단 그 이상도 이하도 아닙니다. 대한민국은 처음부터 이러한 '공부'만을 우리에게 강조하고 있었던 것일까요? 우리는 언제부터 '공부'라는 본질을 '대학','직장'을 위한 수단으로 전락시켰으며, '수능'이라는 단 하나의 기준에 모든 것을 판단하게 된 것일까요?

[대한민국의 발자국]

지난 1945년 8월 15일. 제2차 세계대전의 종식과 함께 대한민국의 광복이 찾아오게 됩니다. 우리는 더 이상 타인에게 '한국 사람'이라는 이유만으로 핍박받지 않아도 되며, 우리 스스로를 지키고 스스로 행동할 수 있게 되었습니다.

하지만, 준비가 되지 않은 갑작스러운 광복. 우리가 스스로 일구어낸 광복이 아닌 다른 나라에 의한 광복을 맞이하였고, 우리는 이에 전혀 준비가 되어있지 않았습니다. 그렇기에 우리는 또다시 갈라졌으며, 6 25 전쟁이라는 민족의 참상을 겪게 됩니다.

한국전쟁 이후, 우리 대한민국은 모든 희생을 감수하며 살아남았습니다. 살아남기 위해 친일파들을 이용하였고, 살아남기 위해 독재를 맞이하며 경제만을 발전시켰으며, 살아남기 위해 사람을 자본화하여 사용하였습니다. 우리는 필사적으로 미국과 서양을 모방하며 그들을 따라잡고자 노력했고, '한강의 기적'을 일으키는데 성공하였습니다. 약자였던 우리들이었기에, 약자였던 국민의 슬픔을 알기 때문에 이를 후손들에게는 겪게 하지 않게 하고자 하기 위함이었습니다.

하지만 우리가 달려온 길은, 우리가 만들어낸 길이 아니었습니다. 우리가 걸어온 길은 '모방'의 길. 서양과 미국이 지난 수백 년간 이리 부딪히고 저리 부딪히며 만들어낸 길을 마치 하나의 정답지로 보고 달려온 것이었습니다. 스스로 계산하는 법을 알지 못한 체, 마치 정답을 베끼며 문제를 풀어왔던 것 이었습니다. 남이 찍어놓은 발자국을 그대로 밟으며 무작정 달려만 왔기에, 우리는 곧 '모방의 한계'를 맞이하게 됩니다.

[앞만 보고 달려온 이의 결말 - 모방의 한계]

'모방'이라 함은 "다른 것을 본뜨거나 본받음"을 의미합니다. 이는 남들이 작성해놓은 답안지를 참고해가며 문제를 푸는 것과 같기에 매우 빠른 속도로 문제를 풀어낼 수 있지만, 답안지를 만든 사람보다 더 나은 점수를 획득할 수 없다는 것을 의미하였습니다. 딱 서양과 미국만큼만 발전할 수 있다는 근본적인 한계를 가지고 있었던 것이었습니다.

이리하여 지금의 대한민국의 겪고 있는 거의 모든 사회적인 문제들은 바로 이 '모방의 한계'에 근원을 두고 있다 생각합니다. 우리는 이미 자원 불모지의 땅에서 인구 5천만 명에 다다르며 전 세계 GDP 14위에 이른, 인적 자원을 바탕으로 한 모방의 방법으로 이룰 수 있는 거의 모든 것을 이룬 상태입니다.

또한 대한민국이 현재 겪고 있는 저출산, 고령화와 청년자살율 같은 문제들은 다른 선진국들이 이미 맞이하였던 과거이자 현재입니다. 모방의 길을 따라온 우리들에게, 현재의 대한민국이 맞이한 문제는 필연이자 운명이었던 것입니다. 우리는 그 누구보다도 빨리 성장하였기에 그 누구보다도 빠른 속도로 극단적인 결과를 맞이하고 있는 것입니다.(사실 이러한 의미에서 전 우리나라가 그 어느 국가보다 선진국이라고 생각합니다. 다른 선진국들이 맞이할 최악의 미래를 우리 대한민국이 가장 앞장서서 보여주고 있는 것이기 때문입니다. 우리 대한민국이 앞으로 할 대응과 이에 따라 벌어질 미래들이, 다른 나라들이 참고할 만한 좋은 예시가 되어줄 것입니다.)

이제 우리는 우리만의 '새로운 방법'을 찾아야만 합니다. 더 좋고 더 나은 국가로 발전하기 위해서, 이젠 우리 스스로가 계산할 줄 알아야 할 때입니다.

하지만 이를 발목 잡는 문제들이 있었으니, 바로 '너무나도 빨랐던 성장 속도'와 '획일화'의 문제입니다. 인류의 가치관은 기술의 발전과 함께 변화했습니다. 구텐베르크의 금속활자 개발로 성경이 널리 보급되어 교회의 거짓말이 밝혀지며 2천 년간의 종교사회를 끝낼 수 있었고, 핵무기의 개발로 사람들이 전쟁을 꺼리게 되었으며, 인터넷의 개발로 세계인이 교류하며 똑같은 가치관과 사고를 형성하게 되는 세계화까지 맞이하게 되었습니다. 대한민국은 반세기만의 엄청난 성장을 이루면서 각 세대가 익숙하게 사용하는 기술들이 몇 년을 차이로 달라졌고, 이는 곧 서로의 극명한 가치관의 차이가 나타남에도 영향을 미치게 되었습니다.

이러한 가치관의 차이로 인해 우리는 서로를 이해하

지 못했으며, 현대가 개인주의 사회로 넘어옴에 따라 우리는 서로를 이해하는 행위 자체에 대한 필요성도 인지하지 못하게 되는, 문제를 해결하기 위한 대화마저 사라지게 되었습니다.

그리고 우리는 '획일화'의 문제도 껴안고 있었습니다. 우리가 걸어온 길은 '모방'의 길. 정답을 이미 알고 있었기에 다른 것들을 생각할 이유와 시간 따위는 없었습니다. 서양과 미국 사회가 제시해 놓은 '단 하나의 방향'과 경제발전이라는 '단 하나의 목표'만을 보고 달려왔기에, 우리는 '창조'의 방법을 잊어버림과 동시에 '다름'을 인정하지 않는 사회가 되어버렸습니다. 모두가 똑같은 목표를 향함을 당연시하였고, 여기에서 다른 목표로 향함이란 그 자체로 하나의 '어리석음'이었습니다. 심지어 우리는 이러한 생각의 굴레에 우리 자신마저 가두어버려, 스스로 정체성마저 부정해 버리게 되었습니다.

대한민국은 지금까지 "답지를 커닝"하며 앞만 보고 달려온 것입니다. 우리는 앞으로 어떻게 해야 발전할 수 있을까요? 아니, 어떻게 해야 살아갈 수 있을까요? 우리는, 어떻게 살아가야만 한가요? 하지만 우린 이에 대한 답을 알고 있습니다. 우리가 스스로 문제를 계산하는 법을 아는 것. 지금껏 주어진 정답지에서 벗어나

다른 답을 찾아보고 만들어 내는 것. 지금까지 주어진 길만이 정답이 아님을 인정하고, 친구들이 추구하는 또 다른 '다름'을 인정하고 응원하여 주는 것. 이 모든 것의 시작은, 우리가 이렇게 행동해야만 함을 '아는 것'에 있습니다. 이렇게 행동하는 이들을 '존중하여 주는 것'과 그렇게 우리들의 아이들을 '가르치는 것'에 있습니다. 이 시작점은 우리부터 이렇게 행동함이 될 것입니다.

제2부 교육(Know)

[배움의 이유와 목적]

우리는 태어나서 어린이집, 유치원, 초등학교, 중학교, 고등학교, 대학교와 요즘은 더 나아가 대학원까지, 20~30년을 교육받으며 살아갑니다. 우리가 가장 익숙해하는 것은 아마 이러한 '교육받는 것'일 것입니다. 선생님. 또는 누군가가 말하는 '지식'이라 부르는 것들을 평생의 청춘을 바쳐가며 외우고 이해하려 노력합니다.

그렇다면, 우리가 받은 이 '교육'이라는 건 정확히 무엇을 의미하는 것인가요? 무언가를 배우는 것? 고등 지식인에게 가르침을 받는 것? 그렇다면, '배우는 것' = '교육받는 것'인 것일까요? 단지 어떠한 지식과 가르침을 열심히 듣고 이해하며 외우기만 하면, 우린 흔히 사회가 부르는 '교육받은 사람'(개념 있는 사람)이 되는가요? 만약 이 모든 말들이 맞다 생각하신다면, 우리는 무엇을 배워야만 한가요? 왜 배우려고 한가요?

　우리는 본능적으로 이 답을 알고 있습니다. 우리 사회에서 행복한 삶을 살기 위해, 지금보다 더 나은 삶을 살기 위해서는 이 '교육'이라는 것을 받아야만 함을 우리가 모두 알고 있기 때문입니다. 교육을 통해서, 우린 한 걸음 더 나아가기 위함입니다.

　[대한민국 교육의 가치]

　사회 안에서 이루어지는 대부분의 활동과 기능들은 그 시대상의 가치관을 반영하듯, 교육도 사회적인 가치를 반영합니다. 고대 농경사회에서는 농업과 관련된 지식을 배움이 우선이었으며, 중세 종교사회에서는 신학과 관련된 가르침이 중요하였습니다. 지금의 현대사회는 바야흐로 '자본주의'의 시대, 자본의 가치가 최우선시되며 사회의 모든 부분이 물질적인 희소가치에 따라 판단되는 시대입니다.

우리 인간이 현대사회에서 물질을 추구하는 이유도 단순합니다. 위에서 말했듯 '자본주의'라 함은 모든 것들을 물질적인 가치로만 판단하는 것. 즉, 이 자본주의 사회에서는 내가 어떠한 '타이틀'과, 얼마나 많은 '돈'과, 어떠한 '명예'가 있어야만 우리는 사랑받을 수 있기 때문입니다. 우리가 얼마나 많은 '물질적인 가치가 있는 것들'을 소유하는 것이, 우리가 '자본주의'에 있어서 사랑받을 수 있는 이유가 되기 때문입니다.

대한민국의 교육도 이러한 가치를 반영하고 있다고 생각합니다. 우리가 받아온 교육은 "물질적으로 풍요로운 삶을 살기 위해 필요한 지식을 습득하는 것."이며, 학교와 선생님의 존재 이유는 '좋은 대학'을 위한 수단적인 가치 그 이상도 이하도 아니게 되었습니다. 우리 인간 자신을 스스로 자본화하여 경쟁을 통해 자신의 희소가치를 높이는 것, 즉 남들보다 "물질적으로 더 잘나가기 위해서"라는, '자본'이라는 수단만을 맹목적으로 추구하는 것이 우리의 교육이 되어버린 것입니다.

하지만 우린 수단만을 추구하며, 그 뒤에 있는 본질이자 목적을 잊어버리고 말았습니다. 우리는 왜 남들보다 더 돈을 많이 벌어야 하는가요? 아니, 돈을 단순히 '벌기만 하면' 우린 행복해질 수 있나요? 돈, 즉 자본이란 단순히 '수단적인 방법'에 불가합니다. 수단은 결국 목적을 쫓기 위한 방법에 불가합니다. 그렇다면, 우리의 목적은 무엇인가요? 우리가 돈을 많이 벎으로써 추구하는 것은 무엇인가요? 사실 이에 대한 답은 우리가 모두 알고 있습니다. 바로 '행복'입니다.

[진정한 교육이란]

위에서 저는 '자본주의' 사회에서 사랑받기 위해서 우린 '물질적인 것들'을 소유해야만 한다고 말하였습니다. 우리는 돈에 의해 벌어지는 수많은 사회적 불의를 목격한 채 살아와야 했으며, 때때론 우리들의 가정에서도 돈과 물질에 의해 가족이 갈라지는 모습마저 마주해야 했습니다. 돈은 사랑마저 깨뜨릴 수 있으며, 돈을 위해 친구마저 버려야 할 수도 있다는 사실을 깨달아야 했습니다.

하지만 우리가 가족, 친구, 연인과 사랑과 행복을 나눌 때, 우리는 분명히 자신에게 아무런 이득이 없는 일이었음에도 그들을 위해서, 그들이 바라는 일들을 해

주신 적이 있으실 겁니다. 우리는 분명히 부모님에게 어버이날을 축하드리고, 연인을 위한 이벤트를 마련하며, 어린 동생을 위해 대신 나서주는 대가 없이 책임지는 일을 하였습니다.

만약 아니라고 생각하신다면, 지금의 젊은 층의 결혼 고려 요소(타인과 사랑을 시작할 조건) 상위권에 '집안 배경','직장','월 소득'들이 포함되어 있지 않냐고 물어보신다면, 여러분들이 처음 사랑을 경험해 보았을 때는 어떠하였나요? 우리가 '사랑'과 '행복'을 태어나서 가장 처음 배우는 곳은 우리의 가족입니다.

우리는 순수했던 그 어린 시절에도, 부모님이 없어지면 울고 엄마와 아빠를 그리워하는 이유가 단순히 '물질적인 가치' 때문이었습니까? 여러분들이 지금의 '사랑'과 '행복'의 조건에 자본의 가치가 들어있는 까닭은, 우리가 그렇게 교육받았기 때문입니다.

하지만 우리는 알고 있습니다. '자본'의 가치가 아니어도 사랑받고 사랑을 줄 수 있음을 말이죠. 우리가 교육받은 사실은 '물질적인 가치들을 통해서 무언가를 사랑하는 법' 단 한 가지입니다. 우리는 무언가와 누군가를 사랑하는 여러 가지 방법 중 단 한 가지를 배웠을 뿐입니다.

우리는 이제 '다양하게 사랑을 추구하는 방법'들을

배워야 합니다. '이를 스스로 생각하는 방법'을 배워야 합니다. 이를 통해, 우리는 우리가 진정하게 원했던 '행복'에 다가설 수 있기 때문입니다.

이러한 의미로 우리는 지금까지 진정한 교육을 받지 못했다고 생각합니다. 우리는 이제 '수단이라는 방법'을 잘 사용할 줄 알고, 이를 통해 '내가 추구하는 사랑'의 형태에 대해 생각하며, 이를 위해 '어떻게 살아가야 하는지에 대해 스스로 생각하는 방법'에 대해 배워야 합니다. '주체적'으로 생각하는 한 명의 인간을 만드는 것. 이것만이 우리가 우리의 아이들에게 가르쳐야 하는 진정한 의미의 '교육'이 될 것입니다.

제3부 민주주의(Choice)

[민주주의라는 정치체제가 추구하는 본질 - 스스로 선택할 수 있는 권리, 자결권]

대한민국 헌법 제1조 1항 '대한민국은 민주공화국이다.'에 명시되어 있듯, 우리는 '민주주의'란 정치체제 속에서 살아가고 있습니다. 여러분이 알고 있는 민주주의는 무엇입니까? 여러분에게 보이는 '민주주의'라고 명시된 우리 사회는 어떠한 모습인가요? 각기 다양한 대답들이 공존하겠지만, 아마 민주주의 사회가 추구해야 하는 가치에 대해서는 보통 평등, 인권과 같은 인간의 존엄성에 관한 보편적인 권리들일 것입니다.

국어사전에서 정의하는 '민주주의'란 "국민이 권력을 가지고 그 권력을 스스로 행사하는 제도''라고 명시되어 있습니다. 또한 민주주의의 반대말은 '공산주의'가 아닌, '군주주의','전제주의'라 되어있음을 보실 수 있으실 겁니다. 민주주의와 전제주의(군주정), 이 두 개의 단어가 가지는 의미에는 어떠한 차이점을 보이고 있나요? 바로 '선택'의 권한이 누구에게 있는지에 따른 기준으로 말미암아 나뉘는 단어입니다. 여기에서 알 수 있듯이, '민주주의'가 추구하는 가장 기본적인 가치는 '자결권'. 즉, 우리 스스로가 우리의 정치 집행 과정에 의사를 표할 수 있고, 우리 스스로가 우리들의 방향성을 결정할 수 있음에 목적을 두고 있는 제도입니다. 평등과 인권 같은 가치는 '선택'을 통해 추구되는 것들. 다시 말해 민주주의에선 '자결권'이 선행되어야 하며 이를 통해 우리가 우리를 위해 추구하는 부가적인 가치입니다.

이제 우린 '민주주의'가 일종의 '자결권'을 추구함을 알았습니다. 이 민주주의에 따르면 우리 사회는 우리가 원하는 데로 흘러가야 하며, 우리에게 친화적인 사회가 되어야 함이 마땅하게 보입니다. 하지만 현재의 대한민국은 우리들의 생각과 현저히 멀어져 가고 있습니다. 사회에서 다수의 다양한 사람들이 살아감에 따라 우리의 생각을 어느 정도 내려놓아야 함을 알고 있지만, 가끔은 우리를 아예 무시하는 처사를 보이기도 합니다. 우리의 대한민국은 민주주의 국가가 아니었나요? 국가를 운영하는 주체는 우리들이 아니었나요? 왜 대한민국은 이따금 우리들이 원하는 방향과 정반대의 길을 걸어가는 모습을 보이는 것일까요? 왜 이 나라는, 우리 국민을 힘들게 하는 것일까요?

[우리에게 주어진 권리에 대해서]

민주주의 국가에선 우리는 '자결권'을 가지고 있습니다. 하지만 우리가 모두 정책 하나하나에 의견을 행사하고 반영하기란 엄청난 비효율성을 유발하기에 우리는 우리의 대변인인 지도자, 국회의원과 대통령에게 우리의 권리를 위임하게 됩니다. 민주주의에서의 지도자는 단순히 우리의 권리를 대변해 주는 존재에 불가합니다. 자의적인 해석이 뒤따를지라도, '지도자의 뜻' = '국민의 뜻'이라는 필수 불가결의 공식이 설립하게 된다는 의미입니다.

'지도자의 뜻' = '국민의 뜻'

우리가 민주주의 사회를 해석할 때 가장 중요하게 생각해야 하는 전제이며, 민주주의 사회는 이 전제에 근본적인 신뢰감을 두고 작동하고 있기 때문입니다.

여기에서 우린 우리 사회가 어떠한 의미를 반영하고 있는지를 알아야 합니다. 우리 사회는 지도자의 뜻이 국민의 뜻이 되는 사회입니까? 국민의 뜻이 지도자의 뜻이 되는 사회입니까? '국민의 뜻'과 '지도자의 뜻'. 이 둘 중에 어느 부분이 어느 부분의 부분집합이 되고 있습니까? 이 중요한 물음에서, 다 같이 더불어 살아가는 사회와 몇몇 힘 있는 개인에 의해 끌려가는 사회가 나뉘기 때문입니다. 우리는 민주주의라는 가면을 쓴 독재자들에게 끌려 살아가고 있는 것일지도 모르는 일입니다. 자신들의 뜻을 국민의 뜻으로 포장하여 내비치게 되는, 마치 소수의 의견이 다수의 의견처럼 보이는 문제들을 우린 경계해야 합니다.

이 문제들을 해결하기 위해서, 우리들의 당연한 권리를 지키기 위해선 우린 어떻게 행동해야 하나요? 그저 뛰어나고 양심적인 지도자가 바꾸어 주기만을 기다려야만 하나요? 국민이 핍박받는 사회를 바꾸기 위해서 가장 먼저 나서야 할 사람은 아이러니하게도, 우리 국민입니다. 투표하여 우리의 의견을 표출하고, 사회의 여러 문제에 관심을 가지고 자기 생각을 내비치며, 주변 사람들에게 공감해 주는 것부터가 시작일 것입니다.

우리가 맞닥뜨려야 할 사회이자 미래이기에, 그 누구도 아닌 우리만이 바꿀 수 있습니다. 하지만, 항상 다수의 의견은 옳은 의견이었나요? 우리는 절대다수의 이익을 위해 소수의 의견을 무시하지는 않았나요? 만약 이러한 희생이 용납되는 게 우리의 민주주의 사회라면, 여러분들이 소수가 되었을 때는 어찌하실 건가요? 우리가 소수가 되지 않으리라는 보장은요?

모두가 더불어 살아가기 위해, 우린 서로의 생각을 이해하고 공감하며, 스스로 사고하고 비난이 아닌 비판적으로 바라보는 것. 이를 바탕으로 우리의 의견으로 우리들의 세상을 만들어 가는 것이, 진정한 민주주의의 시작이 될 것입니다.

제4부 미래(Direct)

지난 2019년 우리는 세계대전 이후 전례 없는 대재앙을 맞이하였습니다. 코로나19라는 이 감염병은 전 세계를 지옥으로 몰아넣었으며, 외국인의 입국 금지, 방역 패스와 사회적 거리 두기, 감염자의 생활 경로 추적이라는 엄청난 기본권의 제한을 겪어내며 살아남았으며 우리 인류의 생활방식을 거대하게 바꾸어 놓았습니다.

또한 코로나19는 인류에게 있어 사회적인 선악의 모든 부분을 앞당기는 일종의 신호탄이 되었습니다. 신자

유주의의 등장으로 그동안 외면받았던 보편복지를 다시 전면적으로 시행하게 되는 계기가 되었으며, 적극적인 비대면 기술의 도입과 개발로 사회의 전반적인 업무처리 방식에 변화가 일어나고, 인공지능의 상용화된 시대가 크게 앞질러지며 우린 유토피아적인 가상 세계의 현실화한 모습인 '메타버스'마저 바라볼 수 있게 되었습니다.

하지만 코로나19로 인해 전 세계의 경제활동이 멈춰지며 부의 불평등은 더욱더 심화하였고, 이를 해결하기 위해 돈을 무한히 찍어내며 인플레이션과 물가 상승이라는 엄청난 생활고에 시달리게 되었습니다. 또한 각 나라들의 사정이 어려워짐에 따라 극단주의자들이 다시 고개를 내밀기 시작하였고, 전 세계가 허우적대는 이 틈을 이용하여 패도(霸道) 정치(힘과 권력에 따라 사람들을 다스리는 정치 형태)를 위한 몇몇 나라들이 침략전쟁을 일으키는 좋은 계기가 되어버렸음도 사실입니다.

코로나19는 우리 인류에게 있어 양날의 검이 되어 다가왔으며 우린 아직 이 영향에서 벗어나지 못하고 있습니다. 이제 우린 인공지능이라는 인간을 뛰어넘는 기술을 다뤄야 하며, 코로나가 남긴 경제침체와 이로 인한 각종 극단주의자의 프로파간다와 패도 정치를 바라보는 독재국가들을 동시에 상대해야 하는 중요한 갈림길에 서 있는 것입니다.

이제 우리는 기존의 상식에서 벗어나야 합니다. 세상은 변화할 것이며, 더 이상 우리가 알고 있는 모습이 아닐 것입니다. 전 그 시작점이 단연코 '지금'이라고 확신합니다.

지금까지 단 몇 년 만에 바뀌어 버린 세상을 간략하게나마 알아보았습니다. 여러분이 바라보는 세상의 모습은 어떠한가요? 우린 이제 어떻게 살아가야 하며, 무엇을 대비하고 준비해야 하나요? 지금부터 기술과 사회, 그리고 이 둘을 하나로 뭉친 융합적인 측면에서 말씀드리겠습니다.

[인간을 대체할 수 있는 기술의 등장 - 대 인공지능의 시대]

지금 인류가 바라보는 가장 선진화된 기술이라 한다면, 그건 단연코 '인공지능'이 될 것입니다. 인공지능이란 정확히 무엇인가요? 여러분은 인공지능을 무엇이라 생각하시나요? 국어사전에 따르면 '인공지능'이란 ''인간의 지능이 가지는 학습, 추리, 적응, 논증 따위의 기능을 갖춘 컴퓨터 시스템.''이며 '인공지능기술'이란" 사람의 뇌신경과 학습 능력, 상식의 이해력 따위를 흉내 낸 기능을 가진 지식 컴퓨터 기술."로 정의되어 있습니다.

따라, '인공지능'이란 "우리 인간을 모방해 내는 기술"입니다. 인공지능은 우리 인간과 마찬가지로 '데이터 학습'이라는 일종의 공부를 스스로 진행하여 발전하게 되는데, 이 인공지능이 학습한 데이터는 인터넷 세상에 뿌려진 수많은 '빅데이터'. 즉 우리 인간들이 만들어 놓은 자료를 바탕으로 성장하게 되며, 결국 인공지능의 밑바탕은 우리 인간이 될 수밖에 없습니다. '인간'이라는 하나의 표본이자 자료가 인공지능의 바탕이 되는 것입니다.

이에 인공지능은 인간의 역할을 대부분 대신할 것으로 생각합니다. 인간과 매우 비슷한 방식으로 사고하며 합리적인 추론을 해낼 것이고, 인간이 새로운 물질을 찾아내고 조합하며 독특한 방식으로 발전해 왔던 기존의 방식을 결국 모방해 내리라 생각합니다. 인공지능은 우리 인간만의 전유물이라 생각해 왔던 '창조'의 능력마저 갖추게 될 것이며, 기술이 기술을 발전시키는 시대를 불러올 것입니다. 기존의 기술은 오직 인간이 어떻게 쓰느냐에 따라서만 그 이용 가치와 용도가 정해

져 왔다면, 이젠 '인공지능'이라는 기술이 스스로 합리적인 추론과 판단에 따라 발전시키는, 더 이상 기술은 인간의 손에 놀아나는 것이 아닌 일종의 '주체성'을 가지게 될지도 모르는 일입니다. 우린 인간을 뛰어넘는 '인공지능'이라는 기술에 대해 정확히 알아야 하며, 이 기술이 추구해야 할 가치와 방향성을 확실히 해야 합니다. 결국 인공지능의 목적은 인간을 모방해 내는 일. 인간은 인공지능의 거울이 되기 때문입니다.

[지금은 치세(治世)인가? 난세(亂世)인가? - 코로나가 불러온 평화의 종식]

역사에서도 알 수 있듯이, 시대마다 바라보는 가치관과 원하는 인재, 추구하는 경향성은 달라져 왔습니다. 지금까지의 세상을 가장 단순하게 양단해 보자면 평화로운 시대, 즉 '치세(治世)'와 혼란스러운 시대, 즉 '난세(亂世)'를 반복하고 있음을 알 수 있습니다.

이 두 개의 시대에서 추구하는 방향성은 완전히 달랐습니다. 치세에서는 조금은 무능력할지라도 공익과 질서를 추구하며 안정을 꾀하는 정의로운 사람을 원하였으며, 난세에서는 조금은 부도덕할지라도 개인과 집

단과 국가가 살아남는 데 이바지할 뛰어난 능력을 갖춘 사람이 선호되었습니다. 시대와 상황에 따라 사람이 추구해야 할 방향성이 달라져 왔던 것입니다.

그렇다면 우리가 살아가고 있는 현재는 어떠한 시대인가요? 이 글을 쓰고 있는 2024년. 지금을 살아가는 여러분이 바라보는 세상은 어떠한 모습인가요?

지난 1991년, 1차 2차 세계대전 이후 또 다른 전쟁이었던 냉전의 시대가 소련의 붕괴와 함께 막을 내리게 되었습니다. 인류는 80여 년간 하나의 긴 투쟁의 역사를 끝내게 되었으며, 지구는 전례 없는 평화의 시대를 맞이하게 되었습니다. 이후 30여 년간 여러 차례 경제 위기로 인한 대공황이 찾아오기도 하였으며 걸프전 등의 몇몇 독재자로 인한 전쟁을 겪어내기도 하였지만, 경제 위기는 자본주의 사회의 자연스러운 현상 중 하나였으며 몇몇 불의에 맞서는 전쟁은 오히려 국제사회의 국가들을 통합시켜 주고 전쟁의 참상을 알려주어 이를 경계하게 되는 계기로서까지 작동하게 되었습니다. 국제사회를 누비는 비영리단체들의 활동은 그 어느 때보다 활발했으며, UN과 같은 국제 협의체는 미국을 중심으로 하여 그 어느 때보다 강력한 영향력을 행사하여 '지구'라는 하나의 공동체를 운영하기까지 하였습니다. 균형은 유지되었으며, 질서는 정립되려 하였습니다.

하지만 코로나19라는 대재앙이자 사회적인 혼란이 발생하며 세계는 각자도생의 길로 빠져들게 되었습니다. 이는 단연코 지금의 초강대국인 미국도 피해 갈 수 없었음에, 미국의 영향력이 약화함에 따라 세계 곳곳에선 힘과 권력을 노리는 세력들이 고개를 들기 시작했습니다. 또한 경제 위기를 극복하기 위해 미국과 각국은 엄청난 양의 화폐를 찍어내고 뿌리기 시작하였으며, 이는 곧 장기적인 인플레이션과 경기 침체로 이어지게 되었습니다.

특히 미국 통화량의 증가는 전 세계적으로 엄청난 악영향을 끼치게 되었습니다. 미국의 화폐는 달러화, 다른 나라들의 화폐와 다른 점이 있다면 달러는 '기축통화'라는 사실입니다. 전 세계 모든 화폐의 가치판단이 되는 기준점에 있는 화폐이자, 전 세계 어느 국가의 화폐와도 교환할 수 있는, "외계인이 지구에 와서 거래할 때는 달러를 사용해야 한다."라는 말에 걸맞은 화폐입니다. 현대사회에서 달러화는 그 자체로 막강한 영향력을 가지고 있으며 현대자본주의 사회에서 단 하나의 진리로 통하는 화폐입니다.

이러한 달러화의 급격한 증가는 미국을 제외한 모든 다른 나라들을 평가절하하였으며, 이는 곧 전 세계적인 부의 양극화와 불평등이 심해짐에 따라 세계는 '평화와 공존'이 아닌 '개인과 국가의 이익'이라는 기준을 따르기 시작하였고 극단주의자들이 다시금 고개를 내밀게 하는 계기가 되었습니다.

이러한 변화는 미국에서의 극단적 보수주의자인 트럼프 대통령의 당선과 맞물리며 이에 따른 여러 국제 조약 무효화와 분열화가 되기 시작하였고, 미국이 세계에 관한 관심을 거두고 자신의 이익에만 정신을 집중한 틈을 타서 세계에 대한 영향력을 확보하려는 러시아의 우크라이나 침공부터 유럽의 각종 극단주의 정치인의 당선까지, 코로나19라는 하나의 질병이 인류가 지난 30여 년 동안 만들어 온 평화를 단숨에 일그러뜨리게 된 것입니다.

힘과 권력에 의하여 사람들을 다스리는 정치, 이른바 '패도(霸道) 정치'의 경향성이 사회 전반적으로 짙게 나타나고 있는 것입니다. 인류는 다시 한번 큰 도전과 선택의 갈림길에 서 있게 되었습니다. 이제 우리는 우리가 살아가야 하는 시대를 정의하며, 우리 인생의 방향성을 다시 한번 새로고침 해야 할 시기가 다가오고 있습니다.

[통제할 수 없는 기술과 혼란의 시대의 융합 - 개인이 바라보아야 할 방향성]

인공지능이라는 인간을 뛰어넘는 기술에 대한 방향성이 결정되는 이 시기에, 우린 코로나19라는 중대한 사건을 맞이하게 되었습니다. 안타깝게도 이는 곧 혼란으로 이어지며 인공지능과 각종 첨단 기술이 전쟁에 사용되고 있는 상황입니다. 인공지능은 인간의 보편적 가치들을 위해 사용되는 것이 아닌, 인간을 죽이는 데에 먼저 사용되고 있으며 이 기술이 추구하는 발전 방향성 또한 '살상 무기'에 다다르고 있습니다.

우리의 창조물이 그 조물주를 죽이게 되는 암담한 미래를 우린 자각하고 바꾸어야 합니다. 로봇의 제3원칙이라는 인류를 위한 마지노선을 우리가 스스로 무너뜨려서는 안됩니다. 이러해야만 인류는 다시 한번 시련을 밟고 나아갈 수 있으며, 결국 모든 사건·사고와 사회적 정치 방향성의 궁극적인 목표인 '생존'을 이어 나갈 수 있기 때문입니다,

이제 우리는 우리에게 주어진 상황과 기술과 현상에 대해 명확히 알아야만 합니다. 더 이상의 정치인과 각종 프로파간다의 속삭임에서 벗어나, 우리 스스로 삶과

인생에 대하여 정의해야 합니다. 기존의 믿음과 상식이 뒤바뀌어 버린 현실을 자각하고 마주해야 합니다. 이를 통해 자신의 인생에 대한 방향성을 정하여 나가야 합니다. 세상을 직시할지 외면할지는 오직 우리 스스로에게만 달려있습니다. 우리는 앞으로 나아가기 위해서, 우리가 살아가고 있는 세상과 자신의 삶에 대한 목적에 대하여 돌아보아야 할 때입니다.

제5부 본질(You and I)

가장 중요한 주제이자, 가장 어려운 주제입니다. 우리들의 인생에 대한 목적과 본질. 사람은 누구나 예외 없이 언젠가 자신이 가는 길과 삶을 살아가는 이유에 대한 의구심을 마주하게 됩니다. 사람이 만들어 가는 인생의 끝은 '죽음'. 우린 죽음이라는 정해진 결말에서 벗어날 수 없는 존재들이자 운명의 수레바퀴에 갇혀있는 존재들이기 때문입니다. 우리는 이 세상에 태어남이라는 사실을 운명적으로 맞이하였으며, 죽음이라는 사실을 통해 운명적으로 모든 것을 내려놓고 떠나갈 존재입니다.

시작과 끝이 정해진 인생이라는 하나의 이야기 속에서, 여러분들은 어떠한 이야기를 남기고 싶으신가요? 어떠한 삶을 살아가고 싶으신가요? 사람의 일생을 통해 보여줄 수 있는 가장 가치 있는 이야기는, 아마 '행복'과 '사랑'일 것입니다. 우리들이 이러한 감정을 느낄 때, 우리가 사람답게 살아감을 가장 잘 느낄 수 있기 때문입니다. 이것들만이, 사람의 인생을 가치 있게 만들어 줄 수 있기 때문입니다.

그렇다면 이 '사랑'이라는 것과 '행복'이라는 것은 어떻게 하면 얻을 수 있나요? 우리는 어떻게 해야 누군가에게 사랑받고 누군가를 사랑할 수 있나요? 질문을 조금 바꾸어서, 여러분들이 누군가에게 사랑과 관심을 줄 때는 어떠한 이유가 필요한가요?

[사랑을 판단하는 기준]

우리가 주로 사랑을 주고 싶은 사람은 '착하고 선한 사람'이라는 것에는 모두가 동의하실 겁니다. 그렇다면 우리가 '착한 사람'을 판별하는 기준은 무엇인가요? 친절, 예의, 배려 등등 가장 먼저 떠오르는 조건들은 본질적인 가치들이겠지만, 현대사회에서 '배려심 넘치고 친절하지만, 경제적으로는 무능력한 사람'과 '타인에게 조금 무관심하고 냉소적이지만 경제적으로는 풍요로운 사람' 중 단 한 사람과 친해질 수 있다면, 아마 많은 사람이 후자를 택할 것입니다. 우리는 이 자본주의 사회에서, 본능적으로 '마음씨 좋지만 폐지 줍는 할아버지'와는 말을 섞기 싫어하지만 '페라리를 타고 명품 옷을 입으며 외적으로 잘생긴 사람'의 SNS에는 수많은 '좋아요'와 댓글을 달고 있습니다.

현대사회를 살아가는 우리에게 있어 '착한 사람'이란, '경제적으로 매우 풍요롭고 높은 정치적 계층에 속해있으며 학벌이 좋은 사람'이 되어버린 것입니다. 우리는 다른 사람을 "사랑해서 사랑하는 것"이 아닌 "성공한 만큼 사랑하는 것"이라는, '사랑'이라는 본질적인 감정마저 수단적인 가치로 판단하게 되었습니다. 현대의 자본주의 사회에서, '물질', '계급', '자본'과 '학벌'은 우리가 사랑받기 위해 가져야 하는 필수적인 조건이 되어버린 것입니다.

그렇다면 여러분들은, 누군가를 사랑하고 존중하는 근거가 '돈', '차', '타이틀과 계급'이라고 확신할 수 있으신가요? 다수의 자본을 독점한 소수의 승자만이 사랑받고 존경받을 수 있으며 그 나머지 대다수는 버림

받음이 타당하다고 생각하시나요? 이렇게 '사랑받을 수 있는 소수의 승자'와 '사랑받을 수 없는 대다수 패자'로만 사람들을 이분법적으로 바라보는 것이, 인간이 추구해야 하는 사랑의 진정한 목적인가요?

우리가 지금껏 이렇게 생각해 온 까닭에는, 기본적으로 '물질과 자본' = '만능이자 신'이라는 인식이 바탕이 되어있습니다. 과거 우리의 선배들은 대한민국의 경제가 급속히 발전하는 '대한민국의 황금기'를 걸어왔던 세대입니다. 이들은 노력한 대로 자신에게 주어진 보상을 만끽할 수 있었으며, 돈과 자본, 그리고 물질에 의하여 모든 것이 바뀌었던 시대를 지나온 사람들입니다. 따라서 이 시대를 지나온 대부분의 이들이 자본의 힘을 찬양하며 추구함은 어쩌면 당연한 일일 것임에도 모릅니다.

이리하여, 우리는 지금까지 세상을 살아오며, 돈을 위해 불의를 저지르는 사람들을 많이 보아왔으며 자본에 의해 가장 원초적인 본질 집단인 가정이 무너지는 광경마저 목격해야만 하였습니다. 우리는 '자본'이라는 수단이 목적 그 자체가 되어버린 세상을 맞이해야 했으며, 돈을 위해 자신의 영혼마저 파는 사람들을 마주해야만 했습니다.

따라, 이들이 우리에게 물려준 이 세상에 대한 가치

관은 "오직 '자본'만이 사랑을 얻을 수 있는 유일한 수단"이라는 것이며, 우리 역시 이러한 견해를 의심 없이 받아들이고 서로가 서로에게 냉소해지는 세상을 만드는 데 이바지하였습니다. 이렇게 우리가 모두 '사랑'이라는 본질을 잘못 해석하였던 결말을, 우린 출산율 감소와 청년 자살률 1위라는 뼈저리게 아픈 결과로 지금 감당하고 있는 것입니다.

　우리는 이제 우리가 잃어버린 것들을 되찾아야 합니다. 우리들의 잃어버린 사랑을 되찾고, 우리들의 잃어버린 진실한 인생을 찾아야 합니다. 세상이 준 명함과 직함, 그리고 모든 타이틀을 떼어버렸을 때도 남아있게 되는, 그러한 우리들을 되찾아야 합니다.

　[세상을 바라보아야 할 때]

　우리는 지금까지 대한민국의 역사와 교육에 대해서 알아보았으며, 더 나아가 세계의 기본적인 이념인 민주주의와 세계가 나아가고 있는 방향성, 그리고 우리의 왜곡되어 버린 '사랑'이라는 본질적인 감정에 대해서까지 알아보았습니다. 이 글을 읽어보시며 어떠한 생각이 떠오르셨나요? 매 장마다 주제는 달랐지만, 결국 강조

되었던 의미와 가치는 비슷하였습니다. 바로 "그 자체로 추구할 만한 가치가 있는 본질적인 가치를 추구하는 데 수단적인 가치를 고려하지 않음"과 "주어진 것들만 바라보는 것이 아닌 스스로 찾아보며 알아가고 선택하는 진정한 주체성을 가지는 것"이었습니다.

시대를 거듭하며 그 가치관과 역사관이 매번 바뀌어 왔듯이, 현대는 단지 '자본주의'라는 이념에 따른 하나의 가치관이 다스림에 불가합니다. 하지만 시대가 변하고 지나왔음에도 여전히 변하지 않았던 것들도 있었습니다. 바로 '사랑'과 '행복' 같은 것들이, 인간을 인간답게 살게 해 줄 수 있으며 사람이 인생 전부를 걸어서라도 추구해야 하는 가치라는 사실입니다. 세상은 그 자체로 선하거나 악하지 아니하였으며, 단지 시대에 따른 가치관을 보여줄 뿐이었습니다.

인생은 나에게로 이르는 길이라 하였습니다. 우리는 세상이 우리에게 정의해 준 진리들을 다시 하나하나 눈여겨보아야 하며, 세상이 정해준 하나의 정답지와 같은 거대한 운명의 방향성을 바꾸어 스스로 만들어 나가야 합니다. 이를 통해 진실한 사랑을 추구해야만 합니다.

이것만이, 태어남과 죽음이라는 시작과 끝이 정해진 한 사람에 관한 이야기의 빈 행간을 채워줄 수 있으며,

사람이 이 세상에 존재해야만 하는 유일한 이유이기
때문입니다.

외전 : 생존(Environment)

　우리는 여전히 수많은 문제점을 마주하며 살아갑니다. 너무 많아서 어느 것부터 해결해야 할지 갈피를 못잡는 우리지만, 이 중에서 가장 먼저 해결해야 하는 문제를 딱 하나만 선택하자면, 그건 역시 '환경문제'일 것입니다.

　환경문제. 사실 지금의 인류가 가장 중대한 위협으로 여겨야 하며 최우선으로 고려해야 할 문제입니다. 전쟁과 질병, 각종 사회적인 문제들과 국제정치 문제는 절대로 환경보다 우선시 될 수 없습니다. 우리는 왜 환경에 관심을 가져야 하며 모든 다른 문제들을 등한시하

더라도 이를 해결하려 노력해야 하나요? 이 이유는 다름아닌 인류의 생존과 가장 밀접하게 관련 있는 문제이며, 사실상 다른 모든 문제가 발생시키는 악영향의 종착점이 환경문제이기 때문입니다.

우리가 환경문제에 집중해야 하는 까닭은, 우리가 지금 밟고 서 있는 이 '지구'라는 우리의 삶의 터전이자 생명줄이기 때문입니다. 현대사회를 이루고 있는 모든 기술은 지구로부터 비롯되었으며, 우리 인간은 단지 '지구'라는 하나의 터전을 이용하는 방식을 발전해 가며 성장하였을 뿐입니다. 우린 아직 지구라는 울타리 밖에서 살아가는 법을 모르기에, 인류의 생존을 위해 지구의 환경을 계속 지키고 가꾸어 나가야 하는 것입니다.

따라, 우리 인류가 환경문제를 방치함이란, 인류의 멸종이라는 정해진 운명을 향해 달려가는 것과 같으며, 사실상 '인류'라는 종족 자체가 윤리적인 보편의식을 내팽개친 체 실용성이라는 가치만 좇아 앞만 보고 달려가는 상황에서 맞이할 최악의 미래가 될지도 모르는 일입니다.

하지만 안타깝게도, 세계가 다시 한번 격동의 시대로 빠져듦에 따라 현재의 효율성과 실용성만을 추구하는 시대로 되돌아가고 있습니다. 러시아 - 우크라이나 전쟁으로 천연가스와 같은 기초자원의 수급이 어려워진

유럽은 기존 친환경 정책을 철회하고 원자력 발전소(누군가는 원자력 발전소가 인류가 추구할 수 있는 가장 친환경적인 발전소라 말하곤 하지만, 원자력은 가장 극악의 폐기물이 나오는 발전 방식이며 현대의 기술로는 이를 처리하기도 불가능함에, 결국 이 또한 풍력과 조력을 이용한 발전 방식에 비해 명확한 한계를 가질 수밖에 없습니다.)를 늘리기 시작하였으며, 각국의 이익과 생존의 논리에 밀려 환경문제는 뒤로 물러나고 있는 상황입니다.

전쟁을 위해 많은 무기와 각종 첨단장비를 생산하고 소모하며 핵무기를 추구하여 힘을 통해 세상을 지배하려는 논리와 이에 따른 경쟁은, 결과적으로 불필요한 과도한 생산과 소비로 이어지며 많은 환경을 오염시키고 있으며 이는 인간이 인간을 죽이는 동족의 참상에서 그치는 것이 아닌, 인류라는 한 종족이 살아갈 터전을 우리 스스로가 없애고 있는 것입니다.

하지만 지구는 이미 한계점에 다다르고 있는 상황입니다. 유럽연합(EU) 기상기관인 코페르니쿠스 기후변화 서비스(Copernicus Climate Change Service)에 따르면 2023년의 산업화 이후 지구의 평균 기온 상승도는 1.48°C. 전 세계 각지의 전문가가 예언한 한계점인 2°C에 단 0.52point 만을 남겨둔 상태이며 2015년도에 파리기후변화협약에서 국제사회가 기후 위기를 해결하고자 제정했던 지구 평균 기온 상승도의 억제점인 1.5°C에 단 0.02point 정도만을 남겨둔 상태입니다.

이제 인류는 자신의 생존을 위해 진지하게 환경문제에 대해 고민해야 할 시기가 점점 다가오고 있습니다. 환경문제와 기후 위기는 더 이상 먼 훗날의 일이 아니며, 우리 인류가 최우선으로 해결해야 할 문제입니다. 우리에겐 이제 많은 시간이 남아있지 않습니다.

우리는 이제 우리가 마주해야 할 진짜 문제들에 대해 생각해야 합니다. 이젠 더 이상 다른 문제에 신경을 쓸 여유와 시간이 없습니다. 지금이야 말로, 서로가 대화하고 화합하여 모두의 생존을 위해 머리를 맞대야 하는 때입니다.

End. 끝

작가의 말: 참회록

우리는 무언가를 쉽게 잊어버리곤 합니다.

어쩔 땐, 자신이 무언가를 시작했던 이유마저 말이죠.

맹목적으로 달려가게 됩니다. 왜 달렸는지 그 까닭을
망각함으로써요.

그러다, 어느 순간 그 끝에 다다르게 되었을 때.

그 순간에 무엇이 남았는지는 저마다 다를 겁니다.

사실 이유를 잊어버리는 건 크게 상관이 없습니다.

잊어버린 것이지 사라진 것은 아니거든요.

그러기에 다시 만들어서 내면 되는 겁니다.

그 순간이, 설령 모든 것이 끝난 순간임에도 말이죠.

목적과 동기가 뒤바뀌게 되는 겁니다.

하지만 크게 상관없습니다.

가장 중요한 건 끝까지 가는 것이 아니기 때문입니다.

너무 늦게 알아버렸습니다.

그러기에, 잃어버린 것들이 너무 많습니다.

되찾으려 했지만 되찾아지지 않습니다.

하지만 괜찮습니다.

괜찮을 겁니다. 그래야만 합니다.

그래야만, 지금의 제가 살아있을 연유이기 때문입니다.

(지난날의 삶이 의미 없을까 두렵기 때문입니다.)

이 책은 우리들을 위하여, 대한민국에서 유년 시절을 보냈던 한 청소년이, 어른으로 나아가기 전에 청소년으로서 남길 수 있는 마지막 글입니다.

여러분들의 길을 응원합니다. 흔한 끝이 또다시 시작되기 때문입니다.

이 책을 청춘을 시작하는 여러분께 바칩니다.

-19살 청춘의 끝과 시작에서, 작가 박채우 올림.-

추천사

학생들에게 다년간 수학을 가르치고 코칭을 하면서 느낀 점은, 공부를 잘하는 학생이든 아니든 상관없이 대부분 수학을 잘하고 싶어 하지만, 왜 잘하고 싶은지에 대한 생각이 없었고 자신이 노력하여 도달하고자 하는 목표도 없었다.

대학교에 가서도 적응을 잘 못하고 미래를 불안해하면서 코칭을 받고 싶다고 한 학생도 있었다.
직장에서 대인 관계를 힘들어하고 이직을 고민하며 코칭을 받고 싶다고 한 사람도 있었다.

학생 대부분이 적지 않은 돈과 시간을 교육에 투자해 놓고 자리를 잡지 못하고 불안해하고 힘들어하고 있었다. 그들의 대부분은 자신이 무엇을 좋아하는지, 무엇을 하고 싶고 무엇을 이루고 싶은 목표도 없이 그냥 힘들어하고 있었다.

이 책의 저자 역시 수동적 교육을 받으며 미래를 불안해하고, 이를 극복하려고 노력했던 고등학생이다.
이 책은 세상 밖으로 나가기 전에 준비운동이 필요한

사람들에게, 목표를 설정하고 주체적으로 삶을 설계할 수 있도록. 친구로서, 동료로서, 후배로서, 충분히 공감할 수 있도록 아주 쉽게 안내하고 있다.

공부, 대학, 그리고 미래에 대해서 불안해하는 청소년들에게. 세상 밖으로 걸음마를 하는 친구에게. 친구 같은 선배가 이끌어 주는 좋은 길잡이가 될 책으로 추천하고 싶다.

-상상코칭사 수석코치 정윤정 선생님-

오, 나여! 오, 삶이여!
끊임없이 반복되는 이 질문들
믿음 없는 자들의 끝없는 행렬에 대해
어리석은 자들로 가득한 도시에 대해

오, 나여! 오, 삶이여!
답은 바로 이것
네가 여기에 있다는 것
삶이 존재하고 자신이 존재한다는 것
화려한 연극은 계속되고,
너도 한 편의 시가 될 수 있다는 것

오, 나여! 오, 삶이여! - 월트 휘트먼